Gilbert **Delahaye** ◆ Marcel **Marlier**

martine

fête son anniversaire

casterman

• Découvre les personnages de cette histoire •

Martine

Joyeuse et curieuse, Martine adore s'amuser avec ses amis et son petit chien Patapouf. Ensemble, ils découvrent le monde et vivent de véritables aventures. Une chose est sûre : avec Martine, on ne s'ennuie jamais !

Clara

Clara est une des meilleures amies de Martine. Elles vont à l'école ensemble et sont voisines : pratique pour s'inviter à jouer le week-end !

Antoine

Le boute-en-train de l'école ! Rieur et farceur, Antoine est toujours partant pour s'amuser.

Arthur

Arthur est le petit frère de Louise… donc le cousin de Martine et Jean !

Jean

C'est le petit frère de Martine.
Avec Jean, Martine se sent grande,
et ça lui plaît beaucoup. En plus,
tous deux s'entendent à merveille.
Être grande sœur, c'est le bonheur !

Gabriel

Le voisin. Il vient souvent donner
un coup de main à Martine et Jean.
Son esprit inventif fourmille
de bonnes idées !

Louise

La cousine de Martine. Les deux filles
adorent passer leurs vacances
ensemble, jouer et se raconter
des secrets !

Ce petit chien est un vrai clown !
Il fait parfois des bêtises…
mais il est si mignon que Martine
lui pardonne toujours !

Patapouf

C'est bientôt l'anniversaire de Martine !

– On pourra faire une fête dans le jardin ?

demande-t-elle à sa maman.

– Bonne idée ! Si tu allais écrire tes invitations ?

Je les posterai cet après-midi.

Martine s'applique pour écrire. Jean et Clara lisent

par-dessus son épaule :

Coucou !

Je vous invite à mon anniversaire !
Rendez-vous chez moi mercredi à 15 heures.
Il y aura de la musique, des jeux...
et même une surprise !

Martine

Patapouf espère lui aussi être invité : il adore faire
la fête !

Tous les amis de Martine ont répondu «oui»!

– Ça va en faire, du monde! se réjouit-elle en se levant mercredi matin.

Commençons tout de suite les préparatifs!

– D'abord, dit sa maman, viens essayer ta nouvelle robe. Elle a besoin

d'un ourlet.

– J'ai l'impression d'être un top model avant un défilé!

Pendant ce temps, Jean construit un stand de jeux dans le jardin.

– Ça n'a pas l'air trop compliqué, dit-il en regardant le plan. Un coup de scie, deux de marteau…

– Et du tissu pour les décorations ! ajoute Gabriel. Le jardin a déjà un air de fête !

Martine se fait belle.

Sa maman a même sorti un casque qui servait autrefois à sécher les cheveux. Martine va pouvoir se faire une vraie coiffure de grande !

« La touche finale, pense-t-elle, ce sera une barrette en forme de pâquerette ! »

Quatorze heures, déjà ! Il est temps
de décorer le gâteau…
Martine montre à son frère comment garnir
de crème les desserts.
– On appuie doucement sur cette poche,
et la crème sort en spirale. On peut faire différents
motifs, des petites pointes, des croisillons…

Ding, dong !
– Les premiers
invités !
– Joyeux anniversaire,
Martine ! lance Antoine
en l'embrassant.
– Bon anniversaire !
ajoutent Louise et Arthur.
Martine a à peine
le temps de dire bonjour
qu'elle a déjà les bras
chargés de cadeaux !

Elle reçoit même un bouquet, livré par un fleuriste.

– Des roses… mes fleurs préférées !

– Qui te les envoie ? demande Louise.

Martine déchiffre la carte :

Joyeux anniversaire, ma chérie !

Gros bisous.

Oncle François

Tout le monde est arrivé : la fête peut commencer !

– Et si on faisait une partie de colin-maillard ? propose Martine.

– C'est toi qui commences ! dit Clara en lui nouant un foulard sur les yeux.

– Antoine ? demande-t-elle en cherchant à tâtons.

– Regardez ! On dirait que Patapouf aussi veut jouer !

– Qui connaît la pêche à la bouteille ? demande Martine.

– Moi ! s'écrie Arthur. On utilise une canne à pêche pour faire passer
un anneau autour d'une bouteille. Regardez…

– Et on gagne quoi ? dit Jean.

– La plus grosse part de gâteau ! répond Martine.

En parlant de gâteau… c'est l'heure du goûter !

Pendant que les enfants boivent de la grenadine, Patapouf leur fait

un petit spectacle.

– Bravo ! s'écrient-ils avec admiration.

– C'est sa façon de te souhaiter joyeux anniversaire, Martine !

Jean profite du spectacle de Patapouf pour enfiler sa tenue
de pâtissier.

– Qui veut des madeleines? Je les ai faites moi-même!

– Et le gâteau, alors? demande Martine.

– Plus tard… répond son frère avec un clin d'œil.

Avec la surprise!

– Ça vous dit de vous déguiser ? lance
Martine. Alors, tous au stand de jeux !
Les enfants accourent. On se croirait
à la fête foraine !
– Essaye ce chapeau rouge, Clara.
Il t'ira très bien.
Arthur prend une clarinette
et Antoine un harmonica.
– Un vrai duo comique,
ces deux-là, pense
Clara.

Heureusement, Martine a prévu de passer
de la vraie musique…

– C'est quoi ? demande Manon en observant
le vieux tourne-disque.

– Un appareil à musique. Il appartenait
à ma mère quand elle était petite. D'ailleurs,
elle m'a donné tous ses disques !

Les premières notes résonnent.

– Qui veut danser ? demande Martine.

Les enfants forment un cercle… et Patapouf se faufile au milieu !

Le petit chien se trémousse parmi les serpentins.

– Un numéro de danse, maintenant ? s'écrie Louise. Quel artiste,
ce Patapouf !

La nuit commence à tomber. Le jardin est magnifique, avec ces lampions de toutes les couleurs !

– Joyeux anniversaaaaire…

Ce sont les parents de Martine qui chantent en apportant le gâteau !

Tout le monde reprend en chœur : «Joyeux anniversaire…»

Martine fait un vœu et souffle toutes les bougies d'un coup !

Quand tout à coup… un sifflement, suivi d'un BOUM !

– Oh ! Un feu d'artifice ! s'exclame Martine.

– C'est ta surprise ! disent papa et maman. Nous l'avons préparé en secret.

– Mais moi, j'étais au courant ! précise Jean.

Tout le monde admire les éclats de lumière dans le ciel…

sauf Patapouf, qui se réfugie dans les bras de sa maîtresse.

Tout ce vacarme, ça lui fait peur !

Ca y est! La fête est finie et les amis de Martine sont rentrés chez eux.
«Dire qu'il faut attendre un an avant mon prochain anniversaire…»
songe Martine.

Retrouve **martine** dans d'autres aventures !

- martine à la ferme
- martine en voyage
- martine à la mer
- martine au cirque
- martine vive la rentrée !
- martine à la fête foraine
- martine fait du théâtre
- martine à la montagne
- martine fait du camping
- martine en bateau
- martine et les quatre saisons
- martine à la maison
- martine au zoo
- martine fait les courses
- martine en avion
- martine monte à cheval

Casterman
Cantersteen 47
1000 Bruxelles

www.casterman.com

ISBN : 978-2-203-10658-1
N° d'édition : L.10EJCN000480.C005
© Casterman, 2016
D'après les albums de Gilbert Delahaye et Marcel Marlier.
Achevé d'imprimer en mars 2018, en Italie.
Dépôt légal : mars 2016 ; D.2016/0053/85
Déposé au ministère de la Justice, Paris (loi n°49.956
du 16 juillet 1949 sur les publications destinées à la jeunesse).